中学生の頭の中身をのぞいたら、未来が明るくなりました。

なりたい大人研究所　編

中学生の「なりたい大人」名文105

今の中学生って、
どんな大人になりたいのでしょう?

子どもを持つ母親や父親、
子どもは身近にいないけれど、
昔、少年・少女だった大人のあなた。

そして、今、中学生や高校生のあなたはどうでしょう?

この本は、2019年夏に開催した
「なりたい大人作文コンクール」に寄せられた、
全国の中学生17,353名の応募作品から
105名の作品を選び、
ほぼ原文のまま掲載しています。

2020年、想定外に社会が大きく変わりゆく中、
さまざまな不安を抱いていたり、
未来に希望を描くことが難しいと感じている、
そんなあなたにこそ
ぜひ読んでいただきたい本になりました。

今を生きる中学生の言葉は、
大人の背中を見て育った、リアルな子どもたちの
身近なヒーロー像であり、なりたい大人像。

まっすぐで、純粋な言葉は、
大人へのエールに感じるかもしれません。

背筋が伸びて、もっとがんばらなきゃと
勇気をもらうビタミン剤になるかもしれません。

この本は、あなたの「なりたい大人」に、
あらためて向き合うきっかけになるでしょう。

たくさんの言葉や情報が、
あなた自身の「なりたい大人」を
あらためて呼び起こしてくれるはず。
さあ、はじまり、はじまり。

この本の
使い方

この本は、最初から順番に読んでもよいですし、その日の気分で開いたページをめくり、どこから読んでもよいでしょう。

中学生105名の作品を5つの章に分類していますので、気になる章から読んでみるのもおすすめです。

それぞれの作品には、一人ひとりのまっすぐな想いが凝縮されています。あなたなりに受け取って感じてみるのがこの本の楽しみ方。

あなたのその日の気分で、自分へのラブレターとして受け取るか、それとも、喝（!?）をもらった気分で背筋が伸びるかは、作品を感じる心、つまりあなた次第です。

また、今の中学生の属性や、価値観が透けて見えるコラムも掲載。大人の読者は、あなたが中学生だった頃と比較してみてもよいかもしれません。

＊それぞれの作文の下には、タイトル、作者名やペンネーム、コンクール応募時の学年、居住地を記載しています。
＊作文はほぼ原文で掲載していますが、編集上最小限の修正をしている箇所もあります。

目次

やさしい大人

「ありがとう」と言ってもらえる大人。色々考えた結果、私はそんな大人になりたいのだと気づいた。今の私は「ありがとう」と言ってばかりでたくさんの大人に迷惑をかけている。だから、私が今、迷惑をかけてしまっている母や父、姉、妹、学校の先生や地域の方々に「ありがとう」と言ってもらえるように努力していきたい。例えば、困ってる人がいたら助けたり、相談にのったり。そして人を「笑顔」にできる大人にもなりたい。

「ありがとう」と言ってもらえる大人
小林千紘　中学2年　千葉県

包容力。私が唯一安心して包容力を感じられるのは、私のおばあちゃんです。おばあちゃんはいつも帰省すると、美味しくて豪華な料理を出してくれます。おばあちゃんはいつも優しい顔で迎え入れてくれます。おばあちゃんには他にも色んな良いところがあるけれど、中でも私が一番好きなのはおばあちゃんの匂いです。その匂いを嗅ぐだけでストレスも疲れも吹き飛んでいくんです。そんな誰かを落ち着かせれる人になりたいです。

包容力

松岡あみり　中学3年　兵庫県

私のなりたい大人は、小学校5〜6年の担任の先生です。先生は、怒るとすごく怖いけど、私が悩んだときには相談にのってくれ真剣に考えてくれました。楽しいときにはみんなといっしょに大笑いし、悲しいときにはいっしょに泣いてくれる、やさしい先生でした。そんな先生のように、一人ひとりを大事にして喜びや悲しみを分かち合うことができ、明るく元気で太陽のような人になりたいです。
それが私の目標です。

なりたい大人
長山梓乃　中学1年　熊本県

私は、人の苦しみに気づいてあげられる大人になりたいです。自分の苦しみに気づいてもらえずに自ら命を絶ってしまう人が居て悲しいからです。きっと苦しんでいたり悩みを抱えている人たちは、自分からSOSを出すことが大変だと思うので、私は自分から声をかけてあげたいと思います。生まれてくるということは本当に奇跡だと思うので自ら命を絶つということはして欲しくありません。なりたい大人になれるように一生懸命頑張ります。

人の苦しみ、悩みに気づける大人

塩原桜彩　中学1年　新潟県

私は東京ディズニーランドで手袋を紛失し、悲しい経験をした。後日見つかって郵便で手袋が届いた。お礼の電話をすると「またその手袋を持って遊びに来て下さいね」と話してくれた。その言葉を聞いて、手袋が見つかった嬉しさが倍になった。私も電話の向こうのキャストさんのように、相手も自分も幸せになれる言葉を言える人になりたい。今後、人と関わる中で様々なことを吸収し、幸せな言動ができる大人になりたいと思う。

幸せな言葉
髙田怜実　中学1年　埼玉県

「許す」というのは一番難しい行動だと思います。なぜなら、許す相手を認め、その相手を反省させ高めてくれる行為だからです。

私は今まで自分に「許す」という事をしてきてくれた大人、親やピアノの先生のようになりたいと考えています。

この人達は私が失敗しても許してくれ、失敗をくり返さないためにどうすれば良いか考えてくれました。その結果、自分を高める事ができました。

まだ、私は、将来、つきたい職業は決まっていません。しかし、どんな職業についてもどんな生き方をしても、難しいですが、自分が今までどんなふうに許されてきたかを思い出し、「許す」という事が誰にでもできる、大人、人間となりたいです。

許す事ができる大人ってすごい。

三田夏綺　中学1年　東京都

生活の中で、私はたくさんの優しさを見つけた。泣いている子供に声をかけてあげる人、次に来る人のためにドアを開けてくれる人…。そんな光景を見るたびに心がとても温かくなる。同時に、私は「こんな気遣いのできる大人になりたい」と思うのだ。人から優しさをもらったり、逆にあげたりすると気分も良いし、嬉しくなる。そんな気持ちにさせることができる大人になりたい。私がこうなりたいと思ったように、誰かから尊敬される大人になりたい。

なりたい大人

豊田莉実　中学2年　岡山県

僕は誰かを守ることのできる大人になりたいです。なぜなら、僕は生まれてからたくさんの大人の方々に守っていただいて今の自分に至り、東日本大震災の際も、家で一人だった自分を父親が会社からすぐに駆けつけて抱きしめてくれたことを今でも鮮明に覚えています。僕は誰かを守ることによって、その誰かが、不安や悩み、孤独などから解放され、その人の希望を照らすことができると思います。

誰かを守りたい

奥村龍　中学3年　東京都

私は将来、縁の下の力持ちといわれるような大人になりたいです。なぜなら、視野が広く、献身的で、他人が面倒くさいと思ったり、やりたくないような仕事でも、誰かが救われたり、仕事が進みやすくなるのであれば率先してこなす姿はかっこいいと思うからです。

そういう人がいることで、周りの人は安心して仕事をすることができます。目立つことはなくても、誰かのために行動できる、そんな大人になりたいです。

私がなりたい大人

志水春樹　中学3年　神奈川県

私の祖母には色々な友達がいます。畑で出会ったという鈴木さんもその一人です。震災で家を失くし、陸前高田から伊勢へ越してきました。その人は見知らぬ土地で野菜を作って売っていますが、車も自転車も持っていないため、祖母が車で野菜を運ぶのを手伝っています。祖母は決して感謝してもらおうとしているわけではありません。ただ、少しでも人の役に立てることはないかといつも考えている。そんな祖母のような人になりたいです。

あたたかいまなざし
大矢梨央　中学3年　三重県

18

私の小児科の先生は気遣いが出来る大人です。その先生は、子どもたちの気持ちに寄り添い、また我が子を心配する親たちへの声掛けも忘れません。待合室で待っていると不安そうに診察室に入っていった親が診察を受けて、出てくるときにはみんなホッとした表情になっているのを見ます。当事者1人だけを心配するのではなくその周りで不安を抱えている人たちにも目を向け、配慮することが出来る、そんな大人に私はなりたい。

気遣いの輪

荻野美羽　中学3年　埼玉県

「大丈夫、ママは味方だから」そう言ってく
れたのは私の母。私が小五の頃、ラインを
やっていないから仲間に入れない、肌の色
が濃かった私は「アメリカかぶれ」「セネガ
ル人」と言われていた。ごまかしたけれど
苦しかった。泣いた私にかけてくれた母の
言葉は今も鮮明に覚えている。苦しみ悲し
みがあったから紛争や貧困等で痛んだ心を
ケアする仕事に就く、それが私の未来想像
図であり夢である。その為にも私は心理学
と三ヶ国語の習得が目標だ。

苦しみ悲しみを一つでも少なく...
佐伯蘭　9年生　タイ

21

僕は将来、笑顔を増やすことのできる大人に、なりたいと思っている。それは、熊本地震を経験した際、たくさんの人が県内外からボランティア活動に来てくれた。そして、たくさんの食糧や水を持ってきてくれた。その時僕は少し気持ちが楽になり、笑顔になることができた。だから、僕は全国にいるたくさんの困っている人を、少しでもいいから、楽しく、そして笑顔にさせることができるような大人になりたい。

笑顔を増やすために

冨永悠真　中学3年　熊本県

私のあこがれの人、それは担任だ。体育教員の私の担任は私達生徒を一人の人間として分け隔てなく接してくれる。特に私がすごいと思う事が先生の観察力だ。私が悩みをかかえているときにはすぐに感じとって声をかけてくれる。親身に相談にのってくれる先生からかけてもらう言葉はいつも心に響き、忘れられないものになる。まだ私にはそんな言葉をかける力はないが、一人一人を尊重し、人の心に寄りそえる大人を目指していきたい。

身近なあこがれ

らっこ　中学2年　大分県

スーパーの前を通ると「行ってらっしゃい」と声をかけられる。いつも元気なあいさつをしてくれるのはスーパーの警備員のおじさんだ。私は、おじさんの行動が恰好いいなと思う。通りすがりの人には必ず元気にあいさつをしていて返されなかったとしても嫌な顔一つしない。また、あいさつを返すとおじさんは思いきり笑顔になる。それを見て相手に伝える気持ちが大切だと思った。おじさんは伝える気持ちがあるからこそ返してもらった時はうれしくて笑顔になるのだ。そんなおじさんのように、心から動ける人に私はなりたい。

カッコイイおじさん

古田結子　中学3年　神奈川県

「大丈夫？」名前も知らない、見知らぬ女性のこの一言は私が暑さで気分が悪くなり歩道に座りこんでしまった時にかけてもらった言葉だ。通行人が誰も助けてくれなかった中で彼女だけは私を励まし、迎えが来るまで、一緒に居てくれた。嬉しくて泣きそうになった。人とのつながりが薄れ誰もが心の余裕を失くした現代でも、こんなに優しい人もいると。これから私も困っている人を優しく助けてあげる大人になりたい。今度は私の番だ。

今度は私が

小貫蒼依　中学2年　福島県

私は好きな歌い手さんがいます。私は、その歌い手さんの歌にいつも元気づけられています。その歌い手さんは、ある言葉を私にくれました。それは「誰かに優しくされたら、その人に優しさを返すのはあたりまえだから、優しさをまわりの人にもあげなさい」という言葉です。それを聞いてから私は、誰にでも優しく接しています。大人になっても、優しい人でいたいし、子供の頃に学んだことや感動を忘れずに生かせる大人になりたいです。

優しい心
内藤美姫　中学2年　千葉県

時々他人に対して意味もなく不機嫌な人が
いる。私には知った事ではないがどうして
も気を使ってしまう。そういう時は心の中
ではとぽっぽを歌う。そしたら心が不思議
と落ち着く。私は大人になっても自分の都
合だけで相手に機嫌を取らせるような事は
したくない。そしてそういう人がいても相
手のペースに巻きこまれず、自分の心は豊
かに、強くたくましく、笑顔でいれる大人
になりたい。私のあこがれ、おばあちゃん
のように。

おばあちゃんのように
與猶彩加　中学1年　佐賀県

私は、人の気持ちに寄りそえる大人になりたい。その理由は、私がけがをした時にお世話になった理学療法士さんが、辛いときに共感してくださったり、うれしいときに一緒に喜んでくださったからだ。一人で不安を抱いていても、それを自分のことのように考えてくださった理学療法士さんは、いつのまにか私のあこがれの大人になっていた。将来、私も人の気持ちに寄りそえる大人になって、色々な人をはげましていきたいと思う。

人の気持ちに寄りそえる大人に

小濱怜佳　中学2年　熊本県

僕のあこがれる大人は、登校中にいつも信号のところに立って、子供たちが安全に通れるように見守っている人です。

その人は、本当に毎日朝から立っていて、いつも、笑顔であいさつをされています。こういう人が、地域をつくっていくのだと思います。

だから、僕が大人になったら、こんな大人になりたいです。

なりたい大人

山口叶太　中学3年　福岡県

私の憧れる大人は、「断れない」大人です。なぜなら、人に頼まれたら結局は応えてしまう姿がかっこいいと感じているからです。断れない人は、他人に普段からたよられる存在です。だから、普段から人を支えていると私は考えています。人の支えになるというのは、自分に負担がかかります。しかし、負担があるにもかかわらず、断らないというのはとてもすごい事だと思うのです。だから私は、断れない大人になりたいです。

憧れる大人
大橋蒼生　中学3年　岡山県

私は祖母のような大人になりたいです。祖母は相手の気持ちが考えられる人です。自分の家の畑仕事もしていて、なおかつ近所の足のよくない人の家の畑にも手伝いに行きます。

他にも自分の家でとれた野菜を近所の人や親戚に配るなど相手が喜ぶことをする人です。

ですが、そんな祖母は亡くなりました。通夜の時多くの人が参列していて本当に周りの沢山の人達に愛された人だったのだと思いました。私もそんな大人になりたいです。

一生のあこがれ

滝沢莉彩　中学3年　新潟県

中学生にはどんな仕事が人気？
「将来なりたい職業」ランキング

時代の移り変わりとともに、仕事や職業の選択肢、働き方も刻々と
変化しています。「テレワーク」や「オンライン」といった言葉が
飛び交う昨今、中学生はどんな仕事に興味を持っているのでしょうか。

男子中学生

1位　YouTuberなどの動画投稿者

2位　プロeスポーツプレイヤー

3位　ゲームクリエイター

4位　ITエンジニア・プログラマー

5位　社長などの会社経営者・起業家

6位　公務員 ／ ものづくりエンジニア（自動車の設計や開発など）／
　　　プロスポーツ選手

9位　歌手・俳優・声優などの芸能人

10位　会社員

女子中学生

1位　歌手・俳優・声優などの芸能人

2位　絵を描く職業（漫画家・イラストレーター・アニメーター）

3位　医師

4位　公務員 ／ 看護師

6位　ショップ店員

7位　YouTuberなどの動画投稿者

8位　文章を書く職業（作家・ライターなど）

9位　動物園や水族館の飼育員

10位　教師・教員 ／ デザイナー（ファッション・インテリアなど）／ 美容師

※複数回答式、同順位表記（男子中学生6位、女子中学生4位・10位）　2019年 ソニー生命調べ

ありのままの大人

「あなたはできる」と私の母はよく言います。
「あなたなら」ではなく「あなたは」と。
私はそれが、母が私を認めてくれているか
らだと思うのです。そのたったの一言で、
そんな母の気持ちに応えようと頑張れます。
母の言葉は、とてもすごい言葉なのです。
だから私も、母のように誰かを認められる、
そんな大人になりたいです。

たったの一言で…
千羽鶴　中学1年　長野県

「別にいいじゃん。そのくらい」。素直に謝ることのできない私。素直にお礼を言えない私。思ったことを素直に伝えることのできない私。親と素直に向き合えない……私。「素直って…？」ふと私は思った。「性格や態度にひねくれたところがなく人に逆らわない様子」国語辞典にはそう書いてある。「思ったことを思ったまま伝えればいいんだ」。言って良い言葉、言ってはダメな言葉それぞれをわきまえたうえで、素直な大人になろう。

素直な大人に

佐藤夕菜　中学3年　広島県

私は将来、幸せに生きたいです。そのために、自分がつきたい職業を早くみつけたいです。やりたくない仕事をするよりもやりたい仕事をしたほうが時間を無駄にしていない感じがしていいと思います。それでおばあちゃんになったら近所の子供達におかしとかをあげて仲良しになって優しいおばあちゃんと言われるような存在になりたいです。幸せじゃなくてもいいから笑顔で生活したいです。

なれてるといいな
築場美咲　中学2年　埼玉県

私がなりたい大人は自分がやりたい事や好きな事をやって人生を楽しく歩んでる人です。なぜなら、ほとんどの人は給料とか就職を心配してストレスを抱えていて、自分の健康や体の事をあまり考えていません。人は忙しいのが当たり前だと思っていますがそれは逆に精神的に人を傷つけているんだと思います。たまには休日を取って、気持ちをリセットする事が大事だと思いました。私は気持ちのバランスを取って仕事ができる社会を作っていきたいです。

自由
岡のこ　9年生　タイ

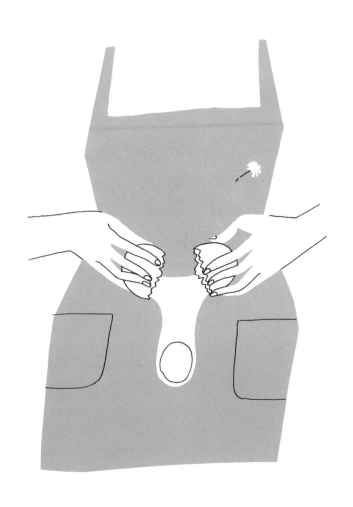

太っている母。この人が私のあこがれの人
です。太っているのはきっと、私達の食の
好みが理由です。私と弟は多くの子供と同
じように野菜をあまり好みません。優しい
母は無理強いをしないので、我が家の食卓
はいつも茶色となってしまいます。そして、
誕生日などにはケーキなど甘い物を作るの
で母は太るのだと思います。でも、とても
おいしいです。裁縫も上手だし、何でもで
きます。怒るときは真面目です。母のよう
な人に、私はなる！

私の母。
鷲尾結菜　中学1年　東京都

昨年、歌手の安室奈美恵さんが引退した。私は、彼女の生き方に共感した。彼女のライブは歌のみで構成されている。それは、彼女自身が話すことが苦手だったことと、ファンには自分の歌を通して色々なことを感じてほしいという信念から来るものだと知った。自分の気持ちに真っすぐに向かい合うということは周りの目も気になるし何より自分に自信がないとできない。自分の気持ちから逃げずに自信をもって向きあえる大人になりたい。

自分に向きあう

如月みく　中学2年　大阪府

私は、よく逃げ出す。辛いことからも、勉強からも嫌なことからも。でも、ある日気付いた。私は、いつでも「出来ない」と勝手に、思い込んでいた。でも誰だって目の前にあるものと向き合うことで成長する。私は、長縄が苦手で嫌いだった。けど向き合うことでその苦手を克服できた。私の逃げる癖は、変わらない。けど私は、将来、目の前のことから逃げ出さない。そんな大人になりたい。これが、私のあこがれの大人だ。

あこがれの大人

大好きな人　中学1年　岡山県

41

世界では、仕事で女性が活躍する国が、たくさんある。しかし、日本はまだまだ女性が活躍する割合が少ない。だから私は、女性でもリーダーシップをとって人を動かせるような大人になりたい。そう思うのは、私の母の存在が大きい。私の憧れの母は小学校の教頭の仕事をしている。母は大変な仕事をしながらも私たちのことを考えてくれている。だから私は、母のような家庭も仕事も両立しながら仕事で活躍する大人になりたい。

なりたい大人になるために

志方心咲　中学2年　福岡県

人生を常に楽しんでる人。そんな大人に僕はなりたい。理由は簡単で、やっぱり何でもできる大人でも楽しくなかったら全然すてきな人生だとは思わないからだ。どんなにお金がなくてもその状況を楽しんで、ポジティブに考えていたら、周りの人にも好かれるし、いつか幸せになれると思う。嫌なことがあっても仲間と一緒に笑って乗り越えられる大人に僕はなりたい。そんな大人になれた時、きっと笑顔で終わりを迎えることができるから。

なりたい大人

玉井大路　中学3年　岡山県

妹のギョウ虫検査を捨てかけたり、寝ぼけて自分の歯ブラシを捨ててしまったり、家族に熱中症に気をつけてといいながら自分が熱中症で倒れたり、ちょっぴり人騒がせな母。けれど仕事をしながらも、遊ぶ時は僕と妹以上に思いっきり楽しみ、疲れた時は無理をせず総菜のコロッケ。一生懸命何かに取り組み汗を流しながらも、どこか表情は豊かで、周りを和ませる母。メリハリがある人は、僕にはとても幸せそうに見える憧れの存在です。

ありのまま生きる母

熊谷優　中学1年　愛知県

私は将来外国に住み様々なことを学び人と違う価値観を尊重できる人になりたいです。その考えは私の母が影響しています。母は大学生の頃にバックパッカーとして世界を飛びまわっており、その頃の話を幼少期からよくしてくれました。その話は私の価値観と全然違って私は新しい刺激を受けました。

人は一人一人価値観が違います。その違いを受け入れて過ごせるのはとても素敵なことだなと思いました。

夢への道
山下祐花　中学2年　大阪府

僕は、生まれ育ったこの町が好きです。だから、大人になったらこの地域に貢献できる人になりたいです。例えば、僕の祖父は、自治会の副会長をしていて地域の行事等へ積極的に参加しています。また、僕の父は信用金庫で働き、お金の面で地域の人々をサポートする仕事をしています。地域貢献には、いろいろな形がありますが、僕はこの町のために役に立てる大人になりたいです。

地域のために

鈴木颯　中学1年　静岡県

私のなりたい大人は、自分の母です。理由
は、先輩・同級生・後輩から好かれ、生涯
を過ごしたからです。オールマイティーで、
一人の人間として好かれる自分の母が大好
きです。一人の女性・一人の人間・私にと
って愛情を沢山そそいでくれたたった一人
の母。尊敬できて憧れの人です。私は母の
生きたかったこの何でもない日々を大切に
し、少しでも母に近づけるようになりたい
です。

私の母

月　　中学2年　京都府

僕がなりたいと思う大人は、今、行っている塾の先生みたいな人です。塾の先生になりたいというわけではなく、先生の考え方を尊敬します。

理由は、先生は思っていることをストレートに言ってくれたり、それに対する考え方を教えてくれたりするからです。その塾の先生は、元新聞記者で大学の予備校の講師をしており、塾なのに人生の生き方を教えてくれるので、そういう所を僕は尊敬します。

なりたい大人

蓮尾　中学3年　福岡県

私は、自己肯定のできる大人になりたいです。理由は単純に、できたほうが絶対に人生は楽しくなるだろうと思うからです。自己肯定感が低ければ、他者から認めてもらおう、好かれようとして、自分を偽り、疲れてしまいます。そんな人生は、楽しくなんかないと思います。自己肯定ができる人は楽しそうで、明るく輝いて見えます。そしてなにより、『カッコいい』です。そんな大人に、私はなりたいと思うのです。私は、大人を楽しみたいです。

楽しむためには

小西鈴　中学3年　大阪府

私は、名古屋にいる百歳の祖母のようになりたい。大正生まれのおばあちゃんは、百年間辛いことや嬉しいことを乗り越えてきた。今は老人介護センターにいて、毎日小さくすりつぶしたおかゆを食べている。いつも、個室で一人静かに寝ているよね。私が辛くて泣きそうになった日を、おばあちゃんは何回乗り越えてきましたか。戦争の時、辛かったよね。大勢の人々がなくなったよね。それでも、おばあちゃんは毎日生きた。必死に、必死に。

あなたを目指しているんだよ、私のおばあちゃん

小田垣朋那　中学2年　兵庫県

私は、おじいちゃんのように、いつまでも学ぼうとする心を忘れない大人になりたい。おじいちゃんに質問をすると、たくさんのことを教えてくれる。ある日は本から、ある日は新聞から……。常にまわりから見たり聞いたりして、おじいちゃんは学んでいる。たとえ知らないことでも、知ったかぶりをせずに一緒に調べて考えてくれる。何歳になっても恥ずかしがらずに学ぼうとし、良い影響をあたえれるおじいちゃんみたいな人になりたい。

おじいちゃん校長先生

H・H　中学3年　岐阜県

私は自分の未来、それも自分の最期を想像する。苦しい？痛い？独りで？怖いこと、不安になることばかりだ。そのせいで今を考えられなくなってしまう。そんな時、この言葉を思い出す。「今やるべき事は何？」顧問の先生が言っていた言葉だ。聞き流している人もいるだろうが、私には鮮明に残っている。未来ではなく、今を大切に。そんな考えがこの言葉のおかげで、私の中にうまれた。

"今"を楽しんで、もがいて、一生懸命生きられる人。そんな人に、私はなりたい。

"今"を大切に

立花巳波　中学3年　神奈川県

54

私のなりたい大人は、「毎日小さな幸せを見つけられる大人」です。今、私達学生は何の変てつのない日々を過ごしています。私はそんな日々をつまらないと感じてしまうことが多々あります。変てつのない日々をつまらない、と感じるか幸せだ、と感じるかは自分の心次第です。だから私は、幸せだと感じられる人になりたいと思いました。人生を充実させるために、私はこれから毎日小さな幸せを貯めていくことを努力したいです。

幸せ貯金

齋藤陽香　中学2年　神奈川県

私は、「幸せだと言える大人」になりたいです。かっこいい大人や、強い大人など沢山の理想像がある中で、私がそうなりたい理由は、胸をはって「幸せだった」と言える人こそかっこいいと思うからです。やりたかったことも行きたかったところも、話したかったことも全部を全うすることができなくても、最後に幸せだったかと問われて幸せだったと笑って言えるような大人になりたいです。私はそれが、最高にかっこいいと思うからです。

最高にかっこいいと思える大人

りんごじゅーす　中学2年　大分県

女子中高生が選ぶ
2019年に流行った言葉 BEST 10

いつの時代でも生まれる若者言葉。どんな意味があり、
どんなシーンで使われているのか。あなたはいくつ知っていますか？

MYNAVI TEENS TREND RANKING 2019

1　ぴえん

2　湧いた

3　レベチ

4　○○しか勝たん

5　ベビタッピ

6　スターティン

7　3150

8　今日のハイライト

9　#397

10　ポンポンポーン

1…感極まって泣いてしまいそうなときに使われる言葉。　2…テンションが上がって興奮しているときに使う。　3…"レベルが違う"の略。　4…○○しか勝たない、○○が最高という意味。　5…「ベビタピ」というタピオカ屋さんが、この掛け声とともにタピオカにストローをさす動画がTikTokで話題に。　6…何かを始めるときの掛け声。お笑い芸人「りんごちゃん」によるもの。　7…"最高"と読む。　8…Instagramのストーリーズに一日の中で一番印象に残った出来事を投稿するときに用いる。　9…"サンキューナ"と読み、感謝の気持ちを伝えるときに使う。　10…ネオパリピ系漫才師「EXIT」が挨拶やネタでよく使う言葉。テンションが上がったときに使われるほか、SNSへの投稿時にも使用。

※複数回答式（回答者：13〜19歳の女性）　2019年 マイナビ ティーンズ調べ

夢を追いかける大人

私は、美しい生き方をする人になりたいです。

今、私があたりまえだと思って過ごしている日常も、とても多くの方に支えられて成り立っています。そんな自分を支えてくれている方への感謝を忘れずに、素直にその感謝を伝えられる人。誰にでも分け隔てなく笑顔を届けられる人。周りにいてくれる人を大切にできる人。そんな、美しい生き方のできる人になりたいです。

なりたい大人になるために

金子詞音　中学3年　長野県

僕が、将来なりたいと思った大人は、この間「はやぶさ2」のプロジェクトを成功に導いた津田雄一さんです。僕は、「はやぶさ2」が小惑星「リュウグウ」へ2回目の着地をする際に、津田さんがリーダーとして率いた工学チームでつくられた惑星探査機を、津田さんが「手がけた探査機は、手塩にかけて育ててきた子どもたち」と振り返っていたのを見て、僕も物を家族のように大事にできる大人になりたいと思いました。

物を大切にする大人
田中政行　中学2年　埼玉県

61

私がなりたい大人はお酒の似合う人です。
なぜならテレビを見ていると芸能人がいろ
んな種類のお酒を飲んでいてあこがれがあ
るからです。しかし、毎日お酒を飲みたい
わけではありません。つかれた週末に飲む。
それが私のあこがれる、なりたい大人です。
二十歳になって就職したらそんな日々を過
ごしてみたいなと思います。それまでは炭
酸飲料でも飲みながらゆっくり生きようと
思います。

大人になるまでのがまん
めかぶ　中学1年　岡山県

ぼくは、将来の夢は、料理人になりたいです。なぜかというと、ぼくは食べるのにとても興味があり、外食などに行くと、たくさんの種類がありいつも迷います。そんな中で決めた料理は一味違うと思います。ぼくはすごく料理ができるわけでもありません。でも、お母さんの作る料理にいつも感動します。部活から帰った時に食べるご飯のしあわせな味。僕も誰かにそんな幸せな料理を作れる人になりたいです。

料理人

佐方凌日　中学1年　熊本県

僕が今までに野球を通してお世話になって
きた大人は、僕に面と向かって本気で話を
してくれた。だから厳しい時も沢山あるが
決して怖いと思ったことはない。僕が思う
大人とは、ただ体や考え方が成長しただけ
で偉そうに言う人ではなく、どんな子供に
も自信を持たせてあげられる言葉をかけて
あげることが出来る人が大人だと思う。将
来僕が大人になった時にこういうことを思
って子供に接することが出来たらいいなと
思っている。

なりたい大人

福田圭介　中学1年　滋賀県

ぼくは、ロアルド・ダールさんの本が好きです。しゃべる昆虫とおばけ桃に乗り旅をするお話や、八十人の魔女をネズミに変えてしまうお話、チョコレートの川が出てくるお話を読んだ後には、チョコの川でチョコフォンデュしてみたい、おばけ桃を食べてみたい、とワクワクドキドキします。

ユーモアで人を魅了して、笑顔にしたり、優しい気持ちにしたりできるダールさんのような大人に、ぼくはなりたいです。

ぼくのなりたい大人

柏谷敦　中学1年　京都府

私は、自動車整備士になりたいと思います。
自動車整備士とは、動かなくなってしまったり事故で走れなくなってしまった思い出のある車や、そのオーナーさんがすごく大事に思っている宝物をまた動くようにして道路をまた走れるようにする、人の役に立つ仕事です。そのためには人の気持ちや車の身になって考えることが大事だと思います。
それと車のことをたくさん知らなければならないので手抜きなどは絶対にしない、芯のある人間になりたいです。

なりたい自分

狩野航汰　中学2年　宮城県

「仮面ライダーW」のおやっさんは、憧れで
あった。特に映画版は、幼い頃の僕の心を
くすぐった。娘や友人に一切をうちあけず
1人で戦う姿はまさしく"孤軍奮闘"と言え
る。僕もいつか大人になったらコーヒーを
すすりながら1人で戦うのだ。そんなハード
ボイルドなおやっさんは、いつしか自分の
定年後の理想像となり、となりの人はだれ
なのだろう。あの子だったらいいのに。そ
んな想像力も与えたおやっさんが好きだ。

ヒーロー

川本朝陽　中学3年　神奈川県

68

私は小さい頃からずっと私の父に憧れている。父は私が寝ているくらいの遅い時間帯に会社から帰ってくる。光ファイバーという極細いガラスの管を売る会社らしい。父は小さい時からよく私に色々なことを教えてくれた。大昔の生き物のことや身の周りで起こる不思議なことの仕組みなど、父に聞けば何でも分かった。とりわけ父は仕事のことを話すのが好きで、その嬉しそうな顔は一番かっこいい。私も自分の仕事を誇れる大人になりたい。

誇れる人

松田恵実　中学3年　大阪府

私は将来、食物のアレルギーがある人も心配せずに食べられる食事を考える栄養士になりたいです。なぜなら、私もアレルギーを持っていて、今までは普通に食べられていたものを食べられなくなって、修学旅行に行くと、いつも私だけ全く違う食事でした。そんな思いをしている子供は世界にはたくさんいるだろうと思います。そうした子供でも安心できて、他の友達の食事と異なりすぎない食事をとれることの幸せを感じてほしいです。アレルギーになったお陰で、素敵な夢を持つことができたので、今ではそれほど悲しいと思いません。

食事で笑顔に

橿尾真美子　　中学3年　東京都

僕は人情味あふれる大人になりたいです。僕の中で人情味あふれる大人はまさに映画「男はつらいよ」の寅さんで、寅さんが人のために一生懸命、力になろうとする姿は、とても美しいです。そして周りの人も笑顔にさせてくれます。僕はそういった日本人の持っている美しい心に憧れました。不器用でも失敗ばかりしていても寅さんのように人情味があれば、周囲を幸せにできる。完璧でなくていい。僕はただその寅さん魂を大切にしたいです。

その美しい心

寺嶋大智　中学2年　新潟県

夢がない。怖かった。先生と出会うまで。きっかけは、私が生徒会に入った事。失敗ばかりだった初めの頃、あえて厳しい言葉をかけて下さった先生。先生の厳しさの中にはいつも優しさがあって、先生と過ごす時間が増える度にその実感も増した。この優しさに私はどれほど救われ、勇気をもらったか。

先生になりたい。いつからかそう思うようになった。私は先生に夢をもらったのだ。私もいつか誰かに夢を与えられる人になりたい。

夢のプレゼント

堤芽依　中学3年　福岡県

母が付けた私の名前には、雲の上から見る澄んだ青空のような心をもつ人という意味があります。大人になると純粋な感情表現ができなくなるといいますが、私は素直で豊かな感情を持ち、時には勇気を与えてくれる青空のように周囲の人を明るくできる人になりたいです。理想の人物を考えたとき、笑顔で私を応援してくれる母のような人だと思いました。一歩でも名前の意味、そして母に近づけるよう、毎日を大切に過ごしたいです。

私の名前

中島碧　中学3年　神奈川県

私は国境なき医師団に入りたい。それは何故か？私はこの世の中で金銭的な問題で苦しんでいる人々を一人でも多く助けたいからだ。そのきっかけはネットの国境なき医師団のホームページを4才の頃に見た時、当時の私にとってとても残酷なものであった。耳からウジ虫が出ていたり、目に戦争の被害によってガラスの破片がささっているなど。私は私一人だけであろうとも、私は国境なき医師団に入り一人でも多くの命を助けたい。それが私だ。

なりたい大人

地原隼人　中学3年　埼玉県

私は今、大人になったら建築家になりたいと思っています。人が生活する場所を設計できるところに魅力を感じました。いつか私が設計した場所で誰かが笑顔になってくれたら素敵だなと思っています。小さいころから私の理想の大人像は人を笑顔にできる仕事をしていました。小さいころからどんどん進化してきた私の理想の大人像ですが、これからも人を笑顔にできる仕事をしているということは絶対条件であってほしいと思います。

理想の大人像の絶対条件
関口遥　中学1年　愛知県

僕は人に物事を伝えるのが苦手だ。だから
こそ、人に教えることを職にする教師に、
僕は敬意の念を抱いている。誰かに一を教
えるのなら十の知識が必要だと思う。誰か
が困っているときにずっと、自然に手をさ
しのべるには途方もないような豊富な知識
が必要だろう。今の僕の知識では上手く伝
えられない。

だからこそ僕は豊富な知識を持ち、どんな
場面でもすぐに手をさしだせるような、物
事をわかりやすく伝えられる大人になりた
い。

伝えること

森本光騎　　中学3年　千葉県

私の目標としている大人、それは祖父のような誠実な人です。祖父は今年で七十七歳。私の方が若いのに「疲れた」という言葉を発さない。仕事もいまだにコツコツとやる努力家。また、感性豊かな点も自分が社会に出る時までにその能力があればいいなと思います。そのために今、目の前にあるかべに立ち向かい、経験を積むことで祖父に近付けるのではないかと考えました。未来の大人の自分が祖父のような人であることを夢に、そして現実に。

夢に向かうために
田中来幸　中学1年　岡山県

僕には兄がいます。兄が小学生の頃、滑り台から落ちて骨や筋肉をズタズタにする程ひどいケガをしました。それから、いつもニコニコしていた兄から笑顔が消えて、しゃべらなくなりました。退院してからもその状況が続いていましたが、テレビで志村けんさんのバカ殿を見た時に、笑顔が戻りました。

僕は元気を失くした人を笑顔にして、心にエネルギーを与えられる芸人さんを本当にすごいと思うし、そういう人にあこがれます。

あこがれの芸人さん

船場喜皓　中学1年　熊本県

81

ぼくは料理人になりたいです。

ぼくが初めて作ったミートソースパスタを家族に食べてもらったらおいしいと言われてうれしかった。それから料理を作るのが楽しくなってきて、小5の夏休みの自由研究で25種類の料理を作って写真付きでレシピを書いてまとめました。今もぼくが作った料理を食べたらみんながおいしいと笑顔になってくれるのでぼくが料理人になったらみんなに食べてもらって笑顔になってほしいです。

なりたい大人
西山拓見　中学1年　滋賀県

ぼくは、サッカー部に入り、活動を続けています。その中で、先生の教えてくれることに驚きました。それは、サッカー以外の人間としての生活についてです。学校生活ができていないとプレーにも出るなど教えてくれました。サッカーをうまくするために学校生活をしっかりするように心がけています。人間性を良くさせることを他の人に教えることにあこがれました。ぼくがなりたい大人は先生のように驚きや新たな見方を教えられる人です。

部活の先生

こうた　中学1年　東京都

「私に頼ってくる人々を見捨てるわけにはいかない。でなければ私は神に背く」。これは、日本で最も有名な外交官、杉原千畝の言葉です。彼は、亡命を求めるユダヤ難民に日本通過ビザを発給したことで免職になってしまいました。お人好しといわれるかもしれません。しかし、これはすごいことです。自分の利益より他人を優先できる、勇気ある人。私は、こんな人が増えたら争いのない世界になると思います。だから私はこんな人になりたいです。

お人好しでもいい

橋場彩香　中学2年　群馬県

84

小学校の時に、テレビで見た助産師さんにとても憧れています。不安な気持ちになっている妊婦さんや家族に対して優しい声かけをして安心させたり、妊婦さんがつらいときにそばにいて話を聞いてあげている姿や出産の時にすばやく正しい判断をしている姿を見て私もこんな声かけや正しい判断ができる助産師になりたいと強く思いました。この仕事をして新しい命が産まれて家族の笑顔をたくさん見れたらいいなと思います。

私の将来の夢

木山菜月　　中学2年　大阪府

中高生が利用するメディア
上位3つは「SNS」「テレビ」「動画アプリ」

スマートフォンを所有する12〜18歳を対象に、普段利用している
メディアを調査。ここではテレビを利用すると回答した人の多くが、
同時にスマートフォンを操作しているようです。

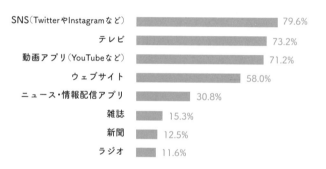

利用しているメディア

SNS（TwitterやInstagramなど）	79.6%
テレビ	73.2%
動画アプリ（YouTubeなど）	71.2%
ウェブサイト	58.0%
ニュース・情報配信アプリ	30.8%
雑誌	15.3%
新聞	12.5%
ラジオ	11.6%

ニュースを見て、単語や内容がわからないときにとる行動

その他のデータとして、わからない情報があるときの行動で
「ネットで検索する」が過半数であるのに対し、「両親や家族、友
人や知人、学校の先生や習い事の先生に聞く」といった行動も
半数近く見られました。身近な人に直接聞く、という子どもが
まだまだ多いことがうかがえます。

※複数回答式　2019年 MMD研究所×テスティー調べ

問う力を大事にする大人

「なりたい大人」それは、私の中では、まだはっきりとは分からない。もやもやした雲みたいに。形も全く分からない。でも、少し黄色が混じっている。その黄色は私が思う中では、「信頼される」という意味だと思う。まだ、はっきりとは分からないけど、私は信頼される大人になりたいのだと思う。人に信頼されるためには、日ごろの行いをきちんとすることが大切だと思う。だから、信頼される人を目指し雲をはっきりした形にしていきたい。

はっきりと分からない雲
平松想乃　中学1年　岡山県

今の大人は中学生の頃に描いていた夢を実現できているのだろうか。大半の大人は、できていないだろう。中学生になると、小学生よりも現実的な事を考えて夢のハードルを下げがちだ。しかし僕は考えた。人は夢よりも大きな事をしようとは思わないと。だから人は大きな夢を持った方がよい。そこで僕は、世界一の人間になりたいと考えた。どれだけ小さな世界一でもいい。ただ、それくらい困難な夢を持つことは中学生に必要なのだ。

夢をもつこと

新田啓悟　中学3年　大阪府

そもそも、大人になる瞬間って、いつなんでしょう。年齢でしょうか。何歳から大人なんでしょうか。バスや電車は中学生から大人料金。だからといって中学生から大人というわけでもない。大人と子どもを分ける線は、年齢ではないと思っています。

私が思う「大人」は自分の子どもな部分に真剣に向き合える人ではないかと思います。私は一人じゃ何もできなくて、人にやらせてばっかりです。できるようになろうともせず、そんな日々が大人への道を遠ざけているように思えます。そんな部分を直して、大人に近づきたいと思います。

なりたい大人になるために

肘小僧　中学1年　大阪府

私にとってのなりたい大人とは、ちゃんと選挙に参加する大人です。

私は選挙に行きもしないで文句ばかりいう大人を見たことがあります。権利があるのにも関わらずその権利を放棄して不満ばかりを言うのは私はゆるせないと思いました。なので、たった一票でも結果がすこしでも変わることを信じて、私は18才になったら選挙に行って今の現状を少しでも変えられるように努力できるような大人になりたいと思います。

私はこんな大人になりたい

村澤曉　中学2年　埼玉県

91

私がなりたい大人は、基本にまどわされないような大人です。私は女ですが、男になる夢を持っています。だから、「なんでスカートはかないの」、「なんで一人称が俺なの」、「男になれるわけがない」という、他人からの言葉を気にとめず、基本にまどわされない大人になりたいなと思います。時には、なんで男に生まれなかったんだろうと泣いてしまう事もありますが、私は大人の広い世界で、そんな生き方ができる大人になりたいです。

自分の姿

快晴くん | 中学2年　大分県

「なりたい大人」と聞いて、僕は家族でも有名人でもなく、疑問を浮かべてしまった。「大人らしい」とは何か。自立すること？仕事ができること？どれも違うような気がした。そんなとき、僕は広島で起きた悲惨な出来事のことを思い出した。話してくれた人は真剣で、とても「大人らしい」。そう思った。

文化、技術、そして忘れてはいけない過去を伝える人達が本当の「大人」なんだと思う。僕は、そんな大人として生きていきたい。

大人らしく生きること

中村拓翔　中学3年　岡山県

僕のなりたい大人は普通の人だ。普通に仕事に就いて、普通に生活を送っていって、病気も何もしなくてなんでもない、なんも起こらない日々を送っていくだけの大人になりたい。でも、そんな普通の中に幸せや平和が隠れているのではないだろうか？何も起こらない＝戦争も国の問題も自分の身の周りのことにもなんの問題もないということだ。それが平和だ。だから普通の大人になって普通の生活を送っていきたい。

普通な大人
前田挑武　中学2年　京都府

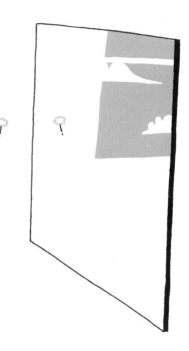

大人と子供には明確な定義はないと思っていた。でも、僕は気付いてしまった。

一度は大人が口にするこんな言葉を聞いたことはないだろうか。「昔は〜だった」「あの頃は〜」。よく考えてみると子供はそんなことは言わない。逆に「将来の夢」とか、「〜になりたい」など、未来志向な言葉を使う。両者を比較してみると大人には輝きがない。僕はこれからも光り輝く夢を持ち、その夢をいつまでも追いかける大人になりたい。

失わせた光とレーザービーム
上野琉生　中学3年　東京都

どんな大人になりたいか。考えても、まだ答えは見つからない。どんな大人？なりたい大人？わからないからこそ考える。まず絶対に守らないといけないのは、人としてしっかりしている人、そして、何かしら人の役に立てる人。これが守るべき、大人と言える最低ライン。そこに、何かを足したのが、本当の大人である。それが僕にはわからない。だからこそ、七年も考える時間があるとも言うし、もう七年しか無いとも言う。大人って、何？

どんな大人？なりたい大人？

三谷優斗　中学2年　大阪府

僕は中学生になり、学校に行けなくなった。担任の先生は無理しなくて良いよと言い、家族は普通に学校に行けと言った。普通って何だろう。学校には人気者になりたくて、人をけなして笑わせる人がいる。それで僕は笑われたこともある。僕は静かに穏やかに過ごしたい。平和で安全に過ごしたい。大人になったら、僕のように学校に行きにくい子に、「大丈夫だよ」と言える大人になりたい。行けなくても普通の中学生なんだよと言いたい。

普通って何だろう
中野立己　中学3年　東京都

私のなりたい大人は、物事を色々な視点から見れる大人だ。1つの意見にまとめてみるのではなく、他の考えは何があるだろうと考え自分の意見や考えがたくさん出てくるクリエイティブな大人だ。ケンカしそうになった時「本当に自分の意見が正しいか」「他の人の意見は本当に違うのか」と考え自分の気持ちをコントロールできる大人だ。それは、新しい発想や考えを知りたいからだ。

無限の発想

石塚ももこ　　中学2年　群馬県

ぼくは、日本の政治の仕組みについて理解した大人になりたい。理由は、その時必要な日本の姿に少しでも近づけるためだ。特に国の法律などについて話し合う国会は、その代表をどの人物にするかが大事になる。そのため、政治について正しい知識をもつことで、日本をよりよい国にすることができるのではないだろうか。このように、政治について理解し、国を支える存在になった時、世界から認められる日本を目指したい。

なりたい大人になるために
永井央介　　中学1年　岡山県

僕がなりたい大人はまだありません。まだなりたい大人というのに気付いていないだけかもしれないけど、僕は他の人に左右されず、自分らしく生きたらいいと思います。なぜなら僕はよく漫画を読みますが、主人公たちはいつも自分なりの生き方を見つけています。

僕はその影響かもしれないけど人には人の、自分には自分の生き方があり、それを実感していくのが人生だと思っています。だから僕はそれを実感しながら人生を楽しみたいです。

自分なりの生き方
光岡玄之助　中学1年　岡山県

単純に欲望を言うと苦を一切感じずやりたいことのみをやれる大人になりたいです。ですが実際に、そんなことは不可能と言えるでしょう。まず生きていればみな少なからず苦を感じるでしょう。それに、この国に住まう以上納税するだけのお金を稼ぐ必要があります。つまり働く必要があります。私にとって働くことは苦です。この時点で欲望が破綻しています。なのでより現実的に考えた結果、なるべく苦を感じず、少しやりたいことができる大人になりたいという結論に至りました。具体的には、住み込みで食事付き、月給6万以上で1日に8時間以上休みがあり私にできる仕事につくか、専業主夫になりたいと思ってます。そしてそのために必要なスキルを考え思いつく限り習得するのが今後の目標です。

理想的欲望と現実的欲望

大谷春人　中学3年　東京都

僕は子どもを本当に大切にする大人になりたい。今の大人は子どもをいい大人にしようとする。しかしそのいい大人というのは自分達に都合のよい人のことである、無理に勉強させ、頭の良い学校に行かせることによって自分の見えを張るのではなく子どもがやりたいこと、興味があることをやらせられる人になりたい。それこそが子どものことを本当に大切にしている大人だと僕は思う。

子どものことを
柿之本美文　中学1年　広島県

なりたい大人を考えていたら なりたくない 大人がたくさん出てきました。

例えば、人によって圧倒的に態度を変える人。電車でも並ばない人、混雑時に扉の前でどかない人。家の近所では、私有地に平気でごみを捨てる人、夜遅い時間でもさわぐ人。たくさんの人が見つかりました。

なりたくない大人を探していて、僕は、人に気を配れる大人になりたいのだと気付きました。

僕は、常識があって人を思いやる、心の優しい大人になりたいです。

なりたい大人

秋山零　中学2年　東京都

私は「選挙に行く大人」になりたいです。

なぜなら、選挙に行くことで政治の場に立つ人を選び、日本を間接的に変えていくことができるからです。

たしかに、気に入らない政治家ばかりかもしれません。しかし、自分の考えと合った政治家を抜粋しなければ、ただ悪口を言うだけの大人であると思います。

よって私は選挙に行って日本を動かすことができる大人になりたいと考えます。

政治と関わる大人

鈴木りず　中学3年　東京都

みかんはおいしい。でも、なんでおいしいのか考えて食べている人はそんなにいない。私はみかんのおいしさはみかんをつくっている人の汗からできていると思う。汗というとそんなにいい気はしない。でも、みかんは高低差があり、昼と夜の温度差がないと、甘く、おいしくならない。高低差があるなら当然、坂がある。そして昼は暑い。つまり暑い中急な坂を登らなければならない。だから汗からできていると思う。私はおいしいみかんの理由を考えられるほどのすごくおいしいみかんをつくれるみかん農家になりたい。

みかん農家

中村心夏　中学3年　東京都

私は、まだ将来の夢がはっきりとは決まっ
ていません。でも、他人の意見に流されず、
自分の意見を持っている大人になりたいと
考えています。

そのために、学校の授業の道徳や国語の時
間の人の考えを聞くときにしっかり自分の
意見を持ち、他の人の意見と自分の意見が
どう違うのかを比べながら聞きたいと思い
ます。

理想の自分になれるように何事にも諦めず
挑戦し、努力を重ねていこうと思います。

理想の自分

小山華奈　中学2年　宮城県

ぼくがなりたい大人は、地球のためにゴミ拾いや、交通安全運動を行って下さっている地域の方々のような人です。ぼくは将来自分のためだけに働き、自分のためだけに勝手なことをする、現代社会の中で「自己中」と呼ばれる人にはなりたくありません。だれかのことを考え、そのだれかのために何かをすることのできる人間になりたいです。たとえ自分がそのだれかのことを知らなかったとしても、もちろん知っている人だったとしても関係なくだれでも助け、人の役に立てる人間になりたいと思っています。それが、まだ将来なりたいものが決まっていないぼくの最低限の目標であり、ぼくの「なりたい大人」です。

最低限のなりたい大人

高林巧弥　中学3年　静岡県

今を生きる「○○世代」の若者たち

時代を映す鏡ともいわれる若者たち。
「ゆとり世代」以降、世代の呼び名は細分化しています。
それぞれを年表にまとめ、どんな特徴があるのか調べてみました。

| ゆとり世代 |
| さとり世代 | | つくし世代 |

| 1987 | 1995 | 2000 | 2005 | 2010 | 2015 |

| ミレニアル世代 |
| Z世代 |

ゆとり世代 1987-2004年	豊かな人間性を育む目的で始まった「ゆとり教育」を受けた世代。仕事は手段ではなく目的化しており、ワークライフバランス重視といった一面も。
さとり世代 1987-1995年	情報にあふれた環境で育ち、一般的に「欲がない」世代ともいわれる。合理的で現実的な思考で、物事を俯瞰的に考えようとする。
ミレニアル世代 1989-2000年	インターネット環境が整った頃の世代で「デジタルネイティブ」といえる。好奇心が強く他者に寛容で、社会問題に対する意識も高い。
Z世代 1996-2015年	スマホ、ビデオ・オンデマンド、ゲーム機器、SNSなどに囲まれて育ったことから「ソーシャルネイティブ」と呼ばれる。個性や多様性を受け入れようとする価値観を持つ。
つくし世代 2005年-現在	文字通り、相手のために「尽くし」、自分一人ではなくみんなの幸せを願う傾向があり、共感力が高い世代といわれている。

挑戦する大人

僕は諦めない大人になりたい。それはついつい苦手なことになると逃げてしまう自分がいるからだ。逃げるとその一瞬は楽になるが、心にとげが刺さったように時々痛むし、顔は下を向く。だったら探求心をもって挑戦し続けたい。例え失敗しても結果がでなくてもゼロではない。少しずつでも何かを得ることができるし、顔は上を向く。だから、どんな仕事に就いても何歳になっても諦めずもがくことを楽しむ大人になりたい。

チャレンジ

S・H　中学3年　東京都

私は、人前に出るのが好きではなかった。中学生になって、環境が変わり、自分も変わりたくなった。少し勇気を出して、規律委員をやってみることにした。

皆の模範になるために、一生懸命やっているうちに、いつの間にか人前に出て、皆に声掛けする事を自然と出来るようになった。自分でも、こんなに変わる事に驚いた。

だから、苦手な事があっても、あきらめず勇気を出して挑戦し続ける大人になりたい。

少しの勇気

杉田紗依良　中学1年　東京都

「新しい事に挑戦するのは全く怖くない。」
これはデヴィ・スカルノさんの言葉。彼女
は堂々としている。私とは大違いだ。調べ
ると壮絶な過去を乗りこえていることが分
かった。だから今、それを踏み台に今の凛
とした彼女ができあがったのかもしれない。
私は彼女のようにいつまでも挑戦を続けら
れる、堂々とした大人になりたい。そのた
めに、私も今の挑戦に全力でぶつかりたい
と思う。それが今私にできる必要なことで
ある。

未来の私、凛とした私？
アフロディテ　中学1年　東京都

僕のあこがれる人は、父です。僕の父は、バングラデシュ人で生まれつき目が見えません。しかし、障がいをマイナスととらえず、いつも大きな夢や目標をもってチャレンジし実現していきます。その姿は僕の見本となり、知恵や勇気を与えてくれます。嫌なこと、難しいことに直面して前に進めずあきらめようとする時に、いつも僕の背中を押してくれます。僕もいつか子どもができた時に、こんな父のようになりたいと思います。

無題

ロイ将人　中学2年　滋賀県

「おぎゃー」という声。これが僕の将来を変えるとはこの時思ってもいなかった。

僕が四、五歳の頃に弟が生まれた。すごくうれしくて泣いたのを覚えている。でも、弟にはある事実があった。それは弟が病気をもっていたことである。その時はすごく悲しかった。でも逆にうれしさもあったのだ。それは弟の病気を治す医者になろうという希望だ。だから僕は人の気持ちを理解し、喜んでもらえるように日々成長していこうと心に決めた。

弟の存在
藤野泰成　中学2年　大阪府

118

私がなりたい大人は、人を助けられる人です。子どもの頃から今までずっと考えは変わらないですが、今になると、もっと現実的にどういう仕事で人を助けたいかということが明確になってきました。私は趣味が機械いじりで将来ロボット製作に携わりたいと思っています。なのでその二つの夢をつなげて、将来は災害時に人を助けることができる救命ロボットか、医療用ロボットの製作をしたいと思っています。そのためにこれから努力します！

目標と現実をつなげ合わせて

石井陽翔　中学2年　大阪府

黙々と中華鍋を振る後ろ姿。ぼくの叔父は中華の料理人です。どんなに忙しくても慌てず自分の仕事をひとつずつこなしていく姿はとても格好良く尊敬します。多くを語らず、けれど自分というものがしっかりとある。芯が通っている。それはいつになったらぼくに身につくのだろう。今は何がやりたいのかも好きなこともできることもわからないけれど、叔父のように決めた道を進んで行けたら、それはとても素晴らしい人生になると思います。

叔父

齊藤凛悟　中学1年　東京都

規則に厳格、お酒を呑んで上機嫌、ゲームにも真剣、笑えないオヤジギャグは面白い、いつも勤勉、物知りで説得力がある、どんな相談にも乗ってくれて正しい方へ導いてくれる信頼度の高さ、そして、心の底から温かい。幾つもの色を持つ祖父。深く喜怒哀楽を消化吸収し、自分の色彩にして、まるでカメレオンのようでありながら、芯は凄くたくましい。そんな彩り豊かで強い大人になる為に、今は何にでも挑戦して自分の可能性を広げたい。

カメレオン

大塚禅　中学3年　神奈川県

年齢のせいにしてやりたいことを諦めたり頑張らない大人にはなりたくない。私は柔道をやっている。でも中一からやっているから小さい頃から道場でやっている人には絶対に勝てない。上の大会にはいけないと思っていた。でも高校から始めてオリンピックに出ている人がいたことを知った。きっと昔からやっている人との経験の差なんて考えないで一生懸命練習をしたんだと思う。私も実力の差があっても、諦めないでその実力差を埋めるくらい努力できる大人になりたい。

諦めない大人

石川萌　中学3年　神奈川県

私が「あんな風になりたい」とあこがれる大人は、学びをやめない私の祖父です。

祖父は教師で、定年後も仕事をしています。大学で経営学を教え、東京に住んでいますが育ったのは私の住む熊谷です。祖父が若い頃から使っている我が家の書斎には数え切れない程の本があります。たくさん本を読み、勉強をしていたのであろう祖父はとても博識です。

今も様々な分野に興味を持ち、学びをやめず歩み続ける祖父は私のあこがれの大人です。

私の祖父

松本真奈　中学2年　埼玉県

僕は将来、魚の治療をする人になりたいです。なぜかというと今の日本に動物病院はあるけど飼育している魚の病院はないのでそのような仕事を作って飼っている魚を救いたいと思いました。理由は、僕が飼っているギバチが白点病になってしまい、ネットには、応急処置としてうすい塩水につからせることしかのっていませんでした。そういう時に魚の病院があればな、と思って将来は魚のお医者さんになってみんなが飼っている魚を救いたいです。

魚の病院

岸田一哲　中学3年　埼玉県

私の夢は、手話・指文字を使い多くの人との会話ができる大人になることです。障害のひとつである聴覚障害。人工内耳や補聴器をつけてもきこえない人達がいる。そのために手話を学び、役に立ちたいと思いました。ろう学校、病院などで手話を使い話している人を見た時に世界の共通言語は手話なんだと気がつきました。なので私は手話・指文字を使い役に立てるようになりたい、手話を世界の共通言語にしたいと思いました。

命をつなげる

西村颯奈　中学3年　佐賀県

私は将来、ホームレスの人や貧しい人を助ける仕事につくか、違う職業についても助けられる人になりたいです。なぜそう思うようになったかというと、タイに来てたくさんのホームレスの方を見ました。でも、私はお金をあげることしかできなく、悔しい思いをしました。なので大人になったら、彼らが職業についてお金を自分たちで稼げるように、働ける場所や住める所を作ってあげたいです。そしていつか、その人達にホームレスから抜け出し、楽しい人生を送ってもらいたいです。

人の未来を手助け

久山眞子　9年生　タイ

僕は将来、親せきのおばさんみたいに茶葉に関する仕事をしたいと思う。理由は、お茶は古くから世界で飲まれている歴史ある飲み物だからです。もう一つの理由は、今、日本ではお茶農家が少ないから、日本の伝統でもあるお茶を失くしてはいけないと思ったからです。この二つの理由もありますが、一番の理由は茶畑の風景が好きだからです。だから僕は将来、茶葉に関する仕事をする人になりたいと思う。

将来なりたい自分

志賀叶夢　中学2年　埼玉県

「二十歳の顔は自然がくれたもの。三十歳の顔は貴方の生活によって刻まれる。五十歳の顔には貴方自身の価値が表れる」と言葉を発した人物とは、ココ・シャネルで、「シャネルスタイル（シャネルスーツ）」を作った才能の持ち主です。芯の強い女性で、ブランド品を作った努力家です。私はココ・シャネルに近付くために、すぐ諦めないで、すぐ折れない人になれるように、一生懸命がんばっていきたいです。

才能の持ち主
園田安惟　中学1年　東京都

「自分を強く持ちなさい」。この言葉は、自分に自信がない私によく祖母が言う言葉だ。彼女は、大都市で保険会社の外交員や経営者を務めていた。そして六十八歳の時、永年の夢を叶えるため、新たな地・北海道に移住した。今は大自然の中、充実した生活を送っている。新しい土地でも何事にも積極的な祖母の言葉は、自然と勇気をもらえる。私も、何歳になっても力強く自分の道を開拓し、実りある人生を送れる人になりたい。

私の憧れの開拓者

小林倫　中学1年　東京都

私は「愛とパワーのある変わり者」になりたい。これは家訓であり小さい頃からよく耳にしていた。その意味は、他と違っていても自分が正しいと思う信念を貫き（変わり者）、その根底には人間に対する愛があり、それをやり抜く実行力（パワー）を持つ事のようだ。今の私には理解が難しいが「人を笑顔にする事」だと解釈している。何故なら、緩和ケア看護師体験をした時、死が目前に迫っていても笑っていた患者さんに幸せを感じたからだ。

愛とパワーのある変わり者

桝田稟温　中学２年　群馬県

人の役に立つ職業とは、この世の中に存在する全ての職業がそうだろう。でも私が特に憧れる職業は「命」を救う職業だ。どんな時でも、冷静に自分より他の人の事を優先できて、何かがあれば現場にすぐ飛んで行く。早朝だろうが深夜だろうが関係なく人の命を助けようと最善をつくそうとする姿勢がかっこよく、尊敬する。体力だけでなく、精神的にもハードな職業だと思う。そんな中でも他の人を優先し助ける救急医療治療師に憧れる。

私の憧れる職業
太田花暢　　中学2年　東京都

自分は一度きりの人生、本気で楽しみたい。好きなことをして、好きな人とけっこんして、好きなところで働く。そんな人生を送りたい。でも、やりたい事をするには相応の努力も必要だ。自分は子どものうちにできるだけ努力したい。人生の八割は大人で、子どもでいるのは二割だけなのだ。だから、自分は子どもの内に努力して、いい高校を卒業して、大人になる。そしてたくさんの人と出会って、たくさん笑う。そんな大人に自分はなりたい。

自分の道

平木悠斗　中学2年　岡山県

ぼくの将来の夢は冒険家です。なぜなら山が好きだし、もっとみんなに自然の中で遊んでほしいからです。みんながゲーム機やスマホで遊んでいます。社会で環境問題がたくさん起きているのも興味がないからだと思います。地球にはたくさんの動物、植物がいて一番強いのは人間です。そのリーダーにふさわしい行動をするべきです。周りの人のことをもっと考え大切にしたいです。ぼくはみんなの地球を大切にできる人になりたいです。

みんなを大切に

栗田耕一　中学2年　兵庫県

新しい出会い、新しい発見は「挑戦」の先にある。小さい頃を思い出すとやってみたいことはやらずにはいられなかった。大きくなってくると何かを始める前に「もし失敗したら」などと考えて躊躇することが多くなった。僕が好きなユーチューバーは様々なことに挑戦する様子を日々配信している。これを見て小さい頃にドキドキワクワクした純粋な気持ちを思い出した。これからは挑戦によって僕の新しい世界を広げてゆきたい。

挑戦を忘れない大人になる

福田柊太朗　中学2年　岡山県

「あなたは、どんな大人になれたら幸せですか？」

夢がない、と言う子どもたちに、ふと聞いてみたかったこんな問いかけ。
生徒たちに聞いてみたら、思った以上に多くを語ってくれました。

本当はみんな「なりたい大人」像を持っているのでは？
わたしたち大人が、それに耳を傾ける機会を作っていないのでは？
わたしたち大人が、言いにくくさせているのでは？

よし、全国のみんなに聞いてみよう。

そんな想いで2019年夏に行った「なりたい大人作文コンクール」。
全国の17,353名の中学生が応えてくれました。

やっぱり、みんな想いを持っているんだ。

作文の一つひとつをじっくり読んでいく中で気づいたことがあります。
みんな、「何になりたい」より「どうありたい」なんだ。
みんな、見ていないようで身近な大人をよく見ているんだ。
みんな、世の中で何か役立ちたいと思っているんだ。
みんな、何かを目標にしようと一所懸命なんだ。

わたしたち大人は、子どもたちの「なりたい大人」になれているだろうか。

子どもたちの想いをわたしたち大人が感じとり、「なりたい大人」であろうとする。そうすると、もっと子どもたちは多くを語ってくれる。そんな関係が築けたら幸せだろうな。そのお手伝いができるようにと、この度書籍化する運びとなりました。

AI、ロボット、IoT……etc.
子どもたちは、目まぐるしく変化する世の中を感じとり、その中で変わらないものを子どもたちなりに探し求めている。そんな想いも伝わるように、子どもたちを取り巻くデータも掲載しました。時代の変化に合わせて子どもたちがどんなことを感じとっているのか、これからも見守っていきたいと思います。

この本をお読みいただくことで、子どもたちの想いが届き、わたしたち大人が彼らの「なりたい大人」であろうとする。そんなきっかけになったら、未来が少し明るくなりますよね。

「あなたは、どんな大人でいられたら幸せですか？」

なりたい大人研究所

屋久島おおぞら高校とKTCおおぞら高等学院が
共同運営している2018年設立の研究所。
中高生の『なりたい大人になる』をサポートする
みらい応援プロジェクトです。
約8000名の高校生を対象としたアンケート調査や
全国の中高生を対象とした作文コンクールなどを企画。
中高生の自己表現の場を通じて彼らの今を見つめ、
メディアを通して多くの大人にその想いを届けることで、
「中高生と大人との架け橋になる」ことを活動テーマとしています。

また、多くの大人や保護者が登録するボランティア組織
「おおぞらみらいサポーター」制度も運用。
屋久島へのツアー引率やイベント企画など、
みらいにはばたく子どもたちを応援しています。

公式サイト
https://www.naritaiotona.com/
おおぞらみらいサポーター
https://ohzora-supporters.amebaownd.com/

沿革：
2018年
KTCおおぞら高等学院の校名変更に伴い、発足
「なりたいおとなになるために。」「KTCみらいノート®」
を共同開発、KTCおおぞら高等学院／編にて出版

2019年
「第1回なりたい大人作文コンクール」開催
全国の中高生から24,760点もの応募を集める
子どもたちを応援するボランティア組織
「おおぞらみらいサポーター」を設置

2020年
「第2回なりたい大人作文コンクール」開催
『中学生の頭の中身をのぞいたら、未来が明るくなりました。』出版
第1回なりたい大人作文コンクールの応募作品から
105点を選出し書籍化

本書にご協力いただいたみなさま

大崎市立松山中学校
東松島市立矢本第二中学校
福島県立会津学鳳中学校
ぐんま国際アカデミー中等部・高等部
川口市立安行中学校
熊谷市立荒川中学校
淑徳与野中学・高等学校
八潮市立潮止中学校
印西市立本埜中学校
柏市立柏第二中学校
千葉市立幕張本郷中学校
足立区立西新井中学校
板橋区立高島第一中学校
江戸川区立小松川第三中学校
青梅市立泉中学校
大田区立大森第七中学校
北区立神谷中学校
京華中学・高等学校
渋谷教育学園渋谷中学高等学校
女子美術大学付属高等学校・中学校
台東区立駒形中学校
中央区立晴海中学校
トキワ松学園中学校高等学校
武蔵野市立第四中学校
川崎市立中原中学校
二宮町立二宮中学校
平塚市立江陽中学校
横浜市立美しが丘中学校
横浜市立西本郷中学校
横浜市立南戸塚中学校
新潟市立白南中学校
飯島町立飯島中学校
上田市立真田中学校
瑞浪市立瑞浪南中学校
静岡市立長田南中学校
静岡大学教育学部附属静岡中学校
名古屋市立鎌倉台中学校

南山高等・中学校女子部
皇學館中学校
大津市立青山中学校
滋賀県立河瀬中学校・高等学校
京都市立七条中学校
向日市立寺戸中学校
八幡市立男山東中学校
大阪教育大学附属池田中学校
大阪市立新北島中学校
大阪市立田島中学校
高槻市立五領中学校
高槻市立芝谷中学校
豊中市立第四中学校
東大阪市立玉川中学校
川西市立緑台中学校
丹波篠山市立篠山中学校
岡山市立吉備中学校
岡山市立東山中学校
広島学院中学校・高等学校
福山市立中央中学校
春日市立春日野中学校
福岡市立住吉小中学校
八女市立黒木中学校
佐賀市立小中一貫校芙蓉校
太良町立多良中学校
熊本市立東野中学校
熊本市立力合中学校
中津市立中津中学校
St Andrews International School Bangkok

本書の発刊までには、多くの方のご協力やご助言がありました。
この場を借りてみなさまに厚く御礼を申し上げます。

赤嶺一夫
株式会社 DIC 学園

大西雅仁
Fit オンラインゼミ

岡田弘美
屋久島おおぞら高等学校

鴨志田英樹
株式会社ロボット科学教育

川津邦浩
株式会社アイ・アンド・キュー アドバタイジング

平田学
ナビ個別指導学院

福江寿晃
竹田印刷株式会社

山本晴周
KTC おおぞら高等学院

和田直士
中央出版株式会社

子どもの文化・教育研究所

※原則的に、学校名は都道府県順、企業は五十音順での掲載、敬称は省略しています。

制作総指揮　伊藤 潤 KTCおおぞら学院株式会社

CIディレクション　上田聰司 プラスディーアンドシー合同会社

絵　市村 譲

デザイン　吉村雄大 スタジオ・ブントビルグラ

編集　村上妃佐子、井上春香 アノニマ・スタジオ

中学生の頭の中身をのぞいたら、未来が明るくなりました。
～中学生の「なりたい大人」名文105～

2020年10月 2 日　初版第1刷　発行
2020年11月30日　初版第2刷　発行

編者　なりたい大人研究所
発行人　前田哲次
編集人　谷口博文
アノニマ・スタジオ
〒111-0051
東京都台東区蔵前 2-14-14 2F
TEL 03-6699-1064
FAX 03-6699-1070
発行　KTC中央出版
〒111-0051
東京都台東区蔵前 2-14-14 2階
印刷・製本　シナノ書籍印刷株式会社